W9-CRT-981

Le grand voyage
de Monsieur

**Données de catalogage
avant publication (Canada)**

Tibo, Gilles, 1951-
Le grand voyage de Monsieur
Pour enfants.

ISBN 2-89512-189-3 (br.)
ISBN 2-89512-191-5 (rel.)

I. Melanson, Luc. II. Titre.

PS8589.I26G72 2001 jC843'.54 C00-941638-2
PS9589.I26G72 2001
PZ23.T52Gr 2001

Éditrice : Dominique Payette
Directrice de collection : Lucie Papineau
Conception graphique : Primeau & Barey

Dépôt légal : 3e trimestre 2001
Bibliothèque nationale du Québec
Bibliothèque nationale du Canada

Dominique et compagnie
300, rue Arran
Saint-Lambert (Québec)
Canada J4R 1K5
Téléphone : (514) 875-0327
Télécopieur : (450) 672-5448
Courriel :
dominiqueetcie@editionsheritage.com

Imprimé en Chine
10 9 8 7 6 5 4 3

Nous remercions le Conseil des Arts du
Canada de l'aide accordée à notre programme
de publication, ainsi que la SODEC et le
ministère du Patrimoine canadien.

Gouvernement du Québec –
Programme de crédit d'impôt pour l'édition
de livres – Gestion SODEC.

LE GRAND VOYAGE
de Monsieur

À Lucie Papineau,
au cœur plein de mots…
G. T.

À Laurence,
ma mère
L. M.

Texte : Gilles Tibo
Illustrations : Luc Melanson

Après la mort de son enfant, Monsieur
a tout laissé derrière lui. Il n'a gardé qu'un ourson
de laine, et une chaise pour voyager.

À la gare, Monsieur a pris un billet,
aller seulement, pour n'importe où. Il voyageait,
assis sur le dernier wagon.

Certains soirs,
au hasard d'un arrêt,
Monsieur hantait
les terrains de jeux.
Il y fredonnait des
berceuses plus douces
que la brise.

Il visitait les cirques.
À la fin de chaque représentation,
lorsque les spectateurs avaient emporté
leurs éclats de rire, Monsieur veillait
en silence au milieu de la piste.

Un jour, le train s'est arrêté devant la mer.
Bercé par les vagues, Monsieur a longtemps
contemplé les châteaux de sable.

Puis Monsieur a traversé l'océan sur un paquebot.
Chaque soir, au crépuscule, il se mêlait aux passagers qui
regardaient l'horizon se perdre dans le ciel.

Monsieur a fait le tour de la terre.
Dans chaque ville, dans chaque village, il arpentait
les rues, les ruelles et les sentiers.

Des femmes, des hommes l'invitaient
dans leur maison. Il y passait quelques heures,
le temps de partager un sourire.

Au bout du monde, Monsieur a rencontré
un enfant. Ses larmes racontaient la guerre
et la disparition de sa famille.

L'enfant pleura trois jours et trois nuits
sur les décombres de sa maison. Il n'y trouva
qu'une poupée de chiffon.

Monsieur découvrit une petite chaise de bois.

Il la répara et la donna à l'enfant.

Le petit posa sa chaise près de celle de Monsieur.
Ensemble, ils écoutèrent le chant des
oiseaux et le soupir du vent dans les feuilles.

Monsieur prêta son ourson à l'enfant.
Tout en caressant le museau de laine, le gamin
raconta l'histoire de la poupée.

Depuis ce jour, l'homme et l'enfant
voyagent ensemble, assis l'un près de l'autre,
en se tenant par la main.